Let this book be read, perused and
verbally translated by every Swedish
speaking member of the family.
And finally get its home with

   Linnéa, the King's own

      gold medalleuse.

                    Stockholm Sept. 25th 1976

                         Elisabet

Silvia och Kungen

A&K

Bobby Andström

HISTORISKT ÖGONBLICK

Kung Carl XVI Gustaf och drottning Silvia knäböjer framför altaret i Storkyrkan. Bruden och hennes klänning med långt släp lyser av skönhet. Den sakrala inramningen är fulländad. På altaret glöder innerligt röda Silvia-rosor.

Ett historiskt och oförglömligt ögonblick. För första gången sedan Gustav IV Adolfs förmälning med prinsessan Fredrika av Baden år 1797, gifter sig en regerande svensk kung.

19 juni 1976 – en dag av kärlek och lycka.

FRÅGAN

- *Tager du Carl Gustaf Folke Hubertus denna Silvia Renate Sommerlath till din äkta hustru . . .*
- *Ja.*

VITTNEN

Europas kungahus följer den högtidliga akten i Storkyrkan. Från vänster i bild ses drottning Fabiola, kung Baudouin, prinsessan Margaretha, fru Ambler, kung Olav, drottning Ingrid. Bakom dem skymtar bl a storhertigparet av Luxemburg, Mr John Ambler, drottning Anne Marie och strax bakom henne kung Konstantin. Kung Carl Gustafs systrar, prinsessan Birgitta av Hohenzollern, prinsessan Désirée, friherrinna Silfverschiöld och prinsessan Christina, fru Magnuson, bildar en lika smakfull som färgstark bukett i sina väl samstämda ensembler.

5

RINGEN

...och till ett vårdtecken giver jag dig denna ring... Så här långt fick vi vara med. Sedan blev det Carl Gustafs och Silvias eget ögonblick av förening. Bara ärkebiskop Olof Sundby såg när kungen trädde ringen på sin hustrus finger. Lilla bilden: Carl XVI Gustaf lyssnar när Silvia lovar att älska honom i nöd och lust.

Sagobröllop

Carl Gustaf Folke Hubertus. Kung.
Silvia Renate. Olympiavärdinna.

Två människor, två olika världar. Men samtidigt två mänskliga varelser av kött och blod, fyllda av längtan och förhoppningar.

En krona och ett kungarike. En hand, två händer. En man av värld, en kvinna av folket.

En saga eller en dröm?

En drömsaga!

När Silvia Renate Sommerlath fördes fram till altaret i Storkyrkan av kung Carl Gustaf lördagen den 19 juni 1976 var det precis som en dröm.

Seklets mest osannolika kärlekssaga kulminerade denna försommarlördag inför en lydande församling. Kyrkan flammade av färger. Från orgelläktaren steg en ström av överjordiskt sköna toner. Valv och skepp fylldes av triumfatoriska ackord.

Leende trädde Århundradets Brudpar in i kyrkan. Kung Carl Gustaf med Silvia Renate vid sin vänstra sida. Oändligt långsamt skred brudnäbbet före. Lilla Amelie Middelschulte tillsammans med James Ambler. Kyrkan log när kungen med mild hand förde de små framför sig. Efter brudparet kom Héléne Silfverschiöld, Hubertus Hohenzollern, Sophie Sommerlath och brudtärnan Carmita Sommerlath.

Brudens klädsamma solbränna kunde inte dölja en viss blekhet – säg den brud som inför en sådan menighet inte känner ängslan eller tvekan. Men nämn samtidigt den brudgum som inte av stolthet ler mot församlingen, viss om att ha erövrat Den Vackraste av dem alla.

Och visst var hon skön, Silvia Renate, den utvalda. När hon vid kung Carl Gustafs sida skred uppför gången i Storkyrkan, gjorde hon det samtidigt in i den svenska historien. En drottningroll väntade bortom några psalmer, ceremonier och bibelord.

"I denna ljuva sommartid" sjöng församlingen. Och sällan har psalmdiktaren och verkligheten gått så hand i hand som just i det ögonblick när kungen och hans blivande drottning stod framför altaret i kungars och drottningars kyrka.

I denna ljuva sommartid.

UPPTAKTEN

Brudens föräldrar Walther och Alice Sommerlath möter sin brudklädda dotter på Storkyrkans trappa. I vapenhuset väntar brudgummen, kung Carl Gustaf. Han ler ömt mot sin brud.

Ovanför Storkyrkan välvde sig en blå sommarhimmel. I tusental sökte sig människor till angränsande gator och gränder. Det fanns en doft av sommarhögtid och kärlek i varje gathörn, en säregen spänning i leden av människor som kantade brudparets väg.

Inne i kyrkan steg värmen från TV-strålkastarna. Väggar, födda i skenet av flämtande lågor, växte mäktigt upp mot valven i det konstgjorda ljuset. Och den sakrala ramen var bedövande skön – allt från altaret med de djupt röda Silviarosorna till de prästerliga skrudarna. Ärkebiskop Olof Sundby bar en gyllene skrud från Adolf Fredriks kröning. Överhovpredikant Hans Åkerhielm Serafimerskruden från Slottskyrkan. Vid deras sida 86-årige professor Ernst Sommerlath.

Bredvid koret glimmade Erik XIV:s och Lovisa Ulrikas kronor på sina hyenden. Men det man kanske längst kommer att minnas från den kungliga vigselakten är drottning Silvia i sin elfenbensvita brudklänning, signerad Marc Bohan från Dior i Paris. Det var en helt slät, långärmad kreation i siden, lätt insvängd i midjan. Från axlarna löpte det drottninglånga släpet ut i kyrkgången. På Diorskapelsen låg den slöja som tidigare burits av prinsessorna Birgitta och Désirée, arvgods från prins Eugen till brudgummens mor, prinsessan Sibylla.

Diademet har också sin historia. Kaméer infattade i rött guld och pärlor fick kronprinsessan Josephine när hon gifte sig med kung Oscar I. Prins Eugen gav det i bröllopsgåva till prinsessan Sibylla. Kungen ärvde det av sin mor och har tidigare burits av prinsessorna Birgitta och Désirée. Och nu drottning Silvia som fullföljde traditionen genom att binda samman diademet till en krona med myrten från Sofiero. Kvisten plockades på ett träd som planterades där av kungens farmor, kronprinsessan Margareta.

Kung Carl Gustaf bar amiralsuniform, paraddräkt med innerkavaj. Två ordenskraschaner lyste på uniformen, den svenska Serafimerorden med därtill hörande ljusblå band och den västtyska förbundsrepublikens förtjänstorden, en artighet mot bruden och hennes hemland. Halsdekoration Svärdsorden, den svenska militära orden. Medaljerna påminde om kungliga jubiléer, Gustaf V:s jubileumsminnestecken II från 90-årsdagen 1948, Gustaf VI Adolfs minnesmedalj från 85-årsdagen 1967 och en norsk medalj som hugfäster 100-årsminnet av Haakon VII:s födelse.

Brudbuketten bestod av vita orkidéer, ett par kvistar jasmin, liljekonvaljer och doftranka. Brudnäbbet hade egna små buketter, Amelie Middelschulte, Héléne Silfver-

KYSSEN

Överväldigad av sin bruds skönhet kysser han henne helt flyktigt på kinden. Deras stora ögonblick är inne.

I STORKYRKANS GÅNG

Oändligt sakta skrider brudparet fram i kyrkans gång. Carl Gustaf och Silvia följs av 1.400 ögonpar. Per television får ytterligare 400 miljoner människor uppleva prakten.

Hela vägen fram till altaret ler brud och brudgum och hälsar på släkt och vänner. James Patrick Ambler, 7 år och Amelie Middelschulte, 5, fullgör sin uppgift med ungt allvar.

15

ETT ÖGONBLICK AV KÄRLEK

Så kommer vi att minnas den historiska vigselakten mellan kung Carl Gustaf och Silvia Sommerlath. Ideligen såg hon med varm, kärleksfull blick på sin blivande make.

Två unga människors viktigaste ögonblick. Och ett löfte om trohet som skall hålla livet ut.

schiöld och Sophie Sommerlath i vita klänningar bar liljekonvaljer, James Ambler och Hubertus von Hohenzollern stavar med blå buketter.

Brud och brudgum växlade många blickar medan de stod framför altaret, ibland ohörbara viskningar. Och varje gång gick det liksom en stöt genom mängden av väl färgstämda bröllopsgäster. På yppersta plats till höger i koret satt Europas kungligheter – kung Baudouin i uniform och drottning Fabiola i ringblomsfärgad blomster-toque. Prinsessan Margaretha fru Ambler och systrarna Birgitta, Désirée och Christina bildade en mycket smakfull bukett med samtrimmade ensembler och hattar i orange, himmelsblått, vallmorött respektive blekrosa. Danska regenten drottning Margrethe böljade med syrenfärgad slöja litet snett knuten på huvudet. Drottning Ingrid som tagit drottning Silvia under sina välmenande vingars skugga, log glatt mot släkt och vänner. De skandinaviska kungahusens ålderman, tillika Europas nu äldste monark, kung Olav, lät höra sitt smittande skratt både före och efter vigseln.

En aning stramare var det på korets vänstra sida, vikt för herrar presidenter från Västtyskland, Finland och Island. Det var också där som den sommerlathska släkten hade sin högborg, anförda av brudens föräldrar Alice och Walther Sommerlath. Men det saknades inte färg, fru Alice, drottningmodern, bjöd på pistagegrönt och prinsessan Beatrix hade skrudat sig i blåblommig chiffon. Kronprins Haralds vackra Sonja hade valt blått. Säg den färg som inte hade mött upp denna signade dag!

När kör och orkester tystnat och psalmsången förklingat, trädde ärkebiskopen Olof Sundby fram till Silvia och Carl Gustaf. Han läste vigselritualen och överhov-predikanten Hans Åkerhielm fyllde på med bibelord. Sist kom drottningens farbror, professor Ernst Sommerlath fram och läste "Herren är min herde" på tyska med gammelmansdarr på stämman. Eller var det av rörelse att se liten Silvia sida vid sida med Carl XVI Gustaf?

Så kom ögonblicket som alla väntat på – föräldrar, släkt, kungligheter, diplomater, ämbetsmän och väl valda representanter för svenska folket.

Ärkebiskopen ställde frågan:

– Inför Gud den allvetande och i denna församlings närvaro frågar jag dig Carl Gustaf Folke Hubertus...

– Ja, svarade kungen med klar och tydlig röst, man hörde det i hela kyrkan. Auditoriet satt andlöst tyst, det gällde ju historia.

VÄLSIGNELSEN

*Med lyftad hand läser
ärkebiskop Olof Sundby
Herrens välsignelse över
kung och drottning som
just ingått sitt förbund.
I bakgrunden drott-
ningens farbror pro-
fessor Ernst Sommerlath
som så känslomässigt
läste ''Herren är min
herde'' på Silvias
modersmål.*

19

JAG HAR EN KUNG!

*Denna bild behöver inte kommenteras med ord. Drottning Silvias
ögon lyser av kärleksfull triumf. Man minns hennes ord från
förlovningspresskonferensen: Jag har en kung . . .*

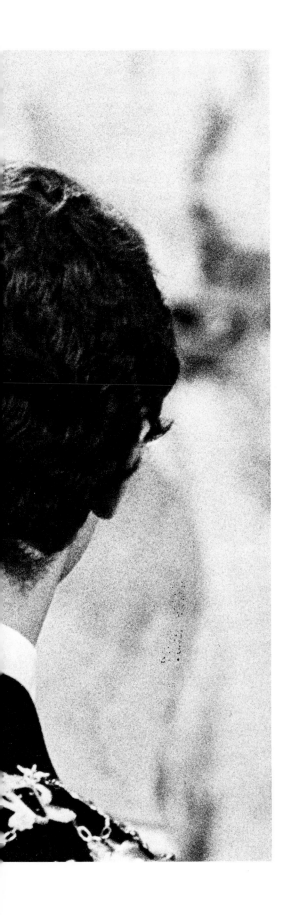

Så kom turen till Silvia.

– Tager du...

– Ja, svarade hon litet kvinnligare och tystare. Den som inte kunde höra svaret såg det. I sitt drottningögonblick nickade hon bifall. Klockan visade 12.18 lördagen den 19 juni och Sverige hade fått en ny drottning.

Ideligen växlade Carl Gustaf och Silvia varma blickar, man kunde inte ta miste på innerligheten i deras förening. Men ögonblicket när kung Carl Gustaf trädde ringen på sin drottnings finger fick vi inte se, så hade de själva bestämt. Bara prästerskapet bevittnade den sekvensen i vigseln.

Och så knäböjde Sveriges kungapar och mottog den vanliga bönen för brudpar, Fader Vår och till sist Välsignelsen.

Därefter höll ärkebiskop Olof Sundby ett mycket personligt tal till brudparet.

– Enligt vår svenska kyrkas tradition vill jag ge er ett Skriftens ord som minne denna dag. Det finns i Galaterbrevets femte kapitel:

"Tjänen varandra genom kärleken."

Äktenskapet är en gåva av Gud till oss människor. Det är en Guds ordning för vårt liv här på jorden. Den är – liksom allt Guds handlande med oss – ett uttryck för hans omsorg och omvårdnad om sina skapade varelser. Det är avsett att vara till hjälp för oss.

Jag skulle önska att ni båda just nu kunde låta allt det myckna yttre, som omger er, sjunka undan. Ni har vunnit varandras tillgivenhet och kärlek. Ni önskar inget högre än att vara till för varandra. Ni har inför Gud och hans församling blivit man och hustru – med allt vad det innebär av gåvor och möjligheter för framtiden, för livet vid varandras sida.

Det är här som Skriftordet kan bli till hjälp och vägvisare: Tjänen varandra genom kärleken!

Måtte ni få kraft att göra detta, under det liv, som ni nu skall leva tillsammans. Mer än andra kommer ni att behöva varandras bistånd, hjälp och tröst, i de många höga uppgifter som väntar er i samhällets och folkgemenskapens tjänst. Måtte ni få hjälp och kraft av Gud att troget tjäna i det godas tjänst.

Tjänen varandra genom kärleken – också vår kärlek, den mänskliga och jordiska kärleken behöver lära av Guds kärlek, som ger för intet och inte söker sitt. Det är att älska varandra – och andra. Det är att låta sig ledas av det som Nya Testamentet på ett ställe kallar

UTTÅGET

Den historiska vigsel-
akten i Storkyrkan är
över. Här möter kung
Carl Gustaf och drott-
ning Silvia för första
gången svenska folket
som äkta makar.
    Efter brudparet for-
merar sig drottning
Ingrid av Danmark och
prins Bertil. Bakom
dem drottning Silvias
föräldrar Alice och
Walther Sommerlath.

Sagobröllop

för den konungsliga lagen – att älska sin nästa som sig själv.

Och detta sätt att leva är nu djupast sett den enda vägen till det, som vi människor ofta ganska obetänksamt kallar för lyckan i livet. Vad är lyckan? Det är att glömma sig själv, att vara till för en annan. I äktenskapet som livsform ligger inbyggt denna vilja att ta hand om varandra och ta ansvar för varandra. Och äktenskapet vill hjälpa oss att förverkliga något av detta i vardagslivets umgängelse med varandra.

Ni är i dag omslutna av välgångsönskningar. De strömmar emot er från alla håll i vårt land. Många förböner stiger upp till allmaktens Gud för vår Konung och vår Drottning.

Vår bön till sist är nu den att Gud ville i sin nåd rikt välsigna er gemensamma livsvandring. Gud hjälpe er att alltid älska och tjäna. Och måtte den svenska bröllopspsalmens ord alltid vara ödmjukt levande i era hjärtan:

Öden och tider välla
som strömmande vattendrag.
Du binder släkte till släkte
Stilla som dag till dag.
Låt oss få ge och skapa
Gud efter ditt behag.

När ärkebiskopen sagt sitt Amen, sjöng Storkyrkans kör "Wie ist Dein Name so Gross". Och så kom ögonblicket när de nygifta för första gången mötte anhöriga och kungliga, representanter för folket och den internationella TV-publikens 400 miljoner.

Brud och brudgum strålade av lycka och mot dem strålade familj, släkt, kungliga gäster och statsöverhuvuden. Särskilt glad såg drottning Ingrid ut, nu var Carl Gustaf gift med Silvia som han älskar. Det bådar gott för familjens framtid hur den än kommer att gestalta sig.

Så spelades utgångsmarschen och kung och drottning började sakta skrida nedför Storkyrkans gång. De nickade glatt när de passerade rader av levande vittnen till den märkliga akten. Efter brudparet formerade sig drottning Ingrid och prins Bertil och efter dem Alice och Walther Sommerlath, berikade med en kunglig svärson.

I kyrkans vapenhus blev det några ögonblicks paus, kung Carl Gustaf fick sin värja och sin amiralsmössa med vitt kapell. När portarna slogs upp trängde de första leveropen in i kyrkan.

På kyrktrappan upplevde de nygifta sin första triumf.

EN HJÄLPANDE HAND

*Så här började den lyckligaste kortegen genom Stockholm i modern
tid. Kungen hjälper sin brud upp i paradlandån. I handen håller
han den vackra brudbuketten.*

KORTEGEN

*180.000 människor
kantade kortegevägen i
Stockholms innerstad.
Man vinkade och hur-
rade för kungaparet.
Och kungaparet vinkade
tillbaka. Till vänster om
paradlandån rider hov-
stallmästare Hans
Skiöldebrand på Silver-
dream, kungens egen
häst.*

VASAORDEN

*Efter den bejublade kortegen genom
Stockholms gator ut på Skeppsholmen
fick Silvia kungens hjälp att stiga ur
landån. Sedan fortsatte man färden över
Strömmens glittrande vågor i kunga-
slupen Vasaorden. En vacker och
minnesvärd del av färden till Stockholms
slott.*

NÄSTA UPPSLAG:
*Vid Logårdstrappan möttes kungaparet
av en närmast otrolig syn. Kajen och
Skeppsbron hade förvandlats till en
grönskande park med tusentals blommor
och levande gräsmattor. I bakgrunden
hyllade 150 dalaspelmän med äktsvensk
musik. Det doftade skönt av svensk
sommar!*

Stormande leverop och applåder fick dem att stanna upp och vinka glatt.

– Kyss bruden, kyss bruden, hörde man fotografer ropa. Vad man då inte visste var att Silvia hade fått en kyss före bröllopet när Carl Gustaf fick se sin sköna brud i vapenhuset. Och övriga kyssar höll de helt för sig själva...

Leveropen fortsatte. Och kungaparet vinkade. Med en hand. Med båda händerna. Silvia höjde sin vackra brudbukett mot skyn.

Så rullade kortegevagnen fram. Det lyste av triumf och glädje kring drottning Silvia när hon fick hjälp upp i paradlandån, tillverkad av F Nylunds Hofvagnsfabrik, nådens år 1820.

Kung Carl Gustaf gav sin hustru en hand, guldet på hans uniform sken i grändens mjuka ljus. Runt Storkyrkan hördes ljudet av hästhovar mot gatstenar – de första ackorden i den långa kortegesymfoni som skulle spelas upp genom Stockholms innerstad.

Jublet steg mot sommarhimlen, flaggor smattrade, människorna jublade i mångdubbla led. Över allt i Gamla stan hängde folk ut från högt belägna fönster. Alla ville se Den Vackraste Drottningen på Sveriges tron.

– SILVIA, SILVIA, skanderade massan.

Och drottningen vinkade generöst tillbaka. Likaså kungen. Det måste ha varit alldeles otroligt overkliga sekunder och minuter för flickan från Heidelberg som vågade bli Sveriges drottning.

Nedför Slottsbacken rann kortegen snabbt och hästarnas seldon glittrade i solen. De blågula husdekorationerna bildade mäktig fond. På Skeppsbron steg jublet, folkmassan böljade som en veteåker i blåst.

Blågula flaggor, spegelteleskop, blommor, små barn på föräldraaxlar – allt fanns där. Och visslingarna. Men det var inte missnöjesuttryck, man ville så gärna hålla kungaparet kvar – eller åtminstone nå fram till dem.

– LEVE KUNGAPARET, LEVE KUNGAPARET!

– Kungaparet, repeterade en liten dam som stod vid min sida. Hon prövade på ordet igen och såg litet osäker ut.

– Kungapar!? Är det inte fantastiskt att vi åter har ett kungapar.

En sann rojalist hade talat. Och hon var inte ensam. Under vigseln beräknade polisen att det fanns ungefär 80.000 människor längs kortegevägen. När kortegen kom i rörelse hade massan ökat till kanske 180.000!

DROTTNING-HOLM

Kvällen före bröllopet var det stor fest för 300 särskilt inbjudna till Drottningholm – Silvias favoritslott. Här anländer paret till begivenheterna.

STOCKHOLMS STADSHUS

Kungabröllopet började med en mottagning i Stockholms stadshus. Den blivande drottningen, som samma dag blivit svensk medborgare och "stockholmstjej" hälsades hjärtligt välkommen till huvudkommunen. Och studentsångarna fick kungliga applåder.

SLÄKTEN

På vänstra sidan i Storkyrkans kor fanns familjen och släkten Sommerlath på plats. Från vänster i främre raden ses Jörg Sommerlath, fru Michele Sommerlath, Walther L. Sommerlath, fru Charlotte Sommerlath och Ralf Sommerlath bevittna brudparets uttåg ur kyrkan.

Brudnäbbet efter fullgjort uppdrag. De små leds av brudtärnan Carmita Sommerlath.

Finlands president Urho Kekkonen i gränden utanför Storkyrkan. Bakom honom Islands presidentpar Eldjárn.

Prins Bertil höll ett personligt tal till brudparet. Han hälsade Drottning Silvia välkommen till Sverige och önskade henne all lycka i de plikter som väntade henne.

Närmaste släkten. Först familjen Ambler, därefter familjerna Hohenzollern, Silfverschiöld och Magnuson.

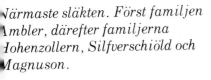

Två kungar och en drottning. Kung Olav av Norge och Belgiens kungapar lämnar Storkyrkan efter vigseln. Som vanligt hälsar Olav glatt.

Till den stora kortegesymfonien hörde naturligtvis ljudet från tjugoen orkestrar, allt från Regionmusiken i Örebro till Wilhelm Peterson-Berger Sällskapets sångkör Pro P-B vid embarkeringsplatsen på Skeppsholmen. Marschmusiken blandades med spelmanslåtar till en nästan overklig ljudridå. Det fanns en doft av hela Sverige i denna musikcocktail med smak av lövade logar och ljusa sommarnätter – tänkt som en hyllning till Århundradets Brudpar.

Kortegen genom det avspärrade innerstadsområdet var ett skådespel. Drottningen vinkade glatt, kungen vinkade glatt. De försökte samordna sina tack mot undersåtarna. Ibland lyckades det, ibland inte.

De varmblodiga hästarna Uno och Dandy som reds av kavaljerskuskarna Stig Jurlander och Ove Eriksson banade sig väg före kungaparets landå, förspänd à la Daumont. Kavaljerskusken Stig Karlsson och fodermarsken Olle Wall höll Indux, Pollux, Max och Alarm i strama tyglar. Höger om vagnen red hovstallmästare Hans Skiöldebrand på kungens egen häst "Silverdream", en underbar vit häst, född i Sverige, exporterad till Tyskland och sedan som gåva till kungen återbördad till Sverige och hovstallet på Östermalm i Stockholm.

Folkmassan trängde på, sträckte på sig, applåderade. Tusen och åter tusen kameror riktades mot kortegen, kungaparets väg var ett enda långt klick-klick-klick.

Maken till färgprakt har man inte skådat i Stockholm. Det Stora Varuhuset på Hamngatan hyllade med stans största kungaporträtt och blågula dekorationer. Hemvärnets musikkår från Gävle gav glad musikdimension åt scenen.

Och där det inte fanns musikanter, sjöng man. Mest tyska sånger, entusiasterna från Silvias hemland var bedövande många i bröllopsstaden. I bussar och bilar, per tåg och flyg hade de rest till Stockholm för att med egna ögon se undret när en alldeles vanlig flicka blev drottning – inte för en dag utan för alltid. I hyllningskören hördes också en klar joddlarstämma, en hälsning från sydtyska nejder. Från USA kom en stor grupp svenskamerikaner – de sjöng blågult och fosterländskt. Och någon grät en skvätt av rörelse.

Överallt där det fanns en chans att se kortegen hängde folk ut från fönster och balkonger. Bankgatan längs Kungsträdgården såg ut att ha skjutit mänskliga skott, de vanligen så tunga fasaderna blommade av färger från blusar och kjolar. Och glada vink med flaggor gav husen liv.

STOLT BRUDGUM

Leverop och jubel mötte de nygifta när de efter vigseln trädde ut ur Storkyrkan. Se så stolt brudgummen är!

Vad man alldeles spontant minns från den makalösa bröllopskortegen är Silvias lyckliga leende, så varmt och äkta. Och vid hennes sida en stolt Carl XVI Gustaf. När de nådde embarkeringsplatsen på Skeppsholmen drog mången säkerhetsman och polis en suck av lättnad. Trots illavarslande rykten om överfall och terroristaktioner hade allt avlöpt lyckligt och 180.000 människor hade med egna ögon fått skåda de nygifta.

Men resan slutade inte på Skeppsholmen. Vid en specialponton väntade den kungliga slupen "Vasaorden" som skulle föra brudparet över Strömmens vågor till Logårdstrappan. Men rodden som varade exakt 15 minuter och 58 sekunder gick inte direkt till målet. Först rodde de arton kadetterna från Sjökrigsskolan under kapten Anders Julins befäl i en båge söderut för att komma i närheten av gästande örlogsmän på Stockholms ström. Där låg brittiska robotjagaren Antrim, danska minfartygen Sjælland och Falster och svenska kustflottan: minfartyget Älvsborg, jagaren Halland, torpedbåtarna Norrtälje, Nynäshamn och Västervik, ubåtarna Sjöhästen och Delfinen och minfartyget Visborg. Ett ryskt kryssningsfartyg fördröjde sin avgång för att passagerarna skulle få tillfälle att följa händelserna. Och händelser blev det. Det sköts stor salut – 21 skott och på samtliga fartyg mannade besättningarna reling och hurrade för nygifta paret ombord på Vasaorden. Salutsalvorna ekade mot Söders höjder och för några ögonblick låg krutröken tät över vågorna.

Knappt hade de marina bröllopshyllningarna tagit slut förrän flygvapnet tog över scenen och med åtta Lansenplan från Malmslätt, åtta Drakar från Västerås och åtta Viggar från Söderhamn flög in över bröllopsområdet och gav ett mullrande jet-grattis till brudparet. Och för att inget skulle missförstås flög två SK 60 in över slottet och ritade ett rök-hjärta på himlen. Det var stor show och jättepubliken applåderade spontant och hjärtligt.

Kungaslupen lade till och med pagernas hjälp steg Carl Gustaf och Silvia i land. Vid Logårdstrappan möttes de av en makalös prakt. Den vanligen så sterila kajen och gatan hade förvandlats till en härligt blommande trädgård med blå och gula blommor, heltäckande blå matta med löpare i rött. Till höger stod 150 spelmän i folkdräkter och bjöd på genuin svensk folkmusik med klang av fest och glädje. Scenen var ett färgsprakande collage, nästan litet overkligt. Glatt vinkande till folkhavet skred brudparet upp för den röda mattan fram till trappan som leder upp till Logården. Där mötte ståthållaren Sixten

OFFICIELLA BILDEN

I Bernadottebiblioteket tog världsberömde fotografen Lennart Nilsson den officiella bilden av brudparet. Den praktfulla gobelängen bildade klassisk bakgrund. Den vävdes ursprungligen för drottning Kristina i Delft.

Brudparet uppvaktades till vänster av Hélene Silfverschiöld och tärnan Carmita Sommerlath. Framför dem lilla charmiga Amelie Middelschulte, dotter till drottning Silvias bästa väninna. Till höger står Hubertus Hohenzollern och James Ambler, sittande Sophie Sommerlath. Brudnäbbet bar Marc Bohan-designade kläder.

KÄRLEKSGALA

Med operasångerskan Kjerstin Dellert som primus motor förvandlades Kungliga Teatern till en stor Kärleksteater för att hylla Carl Gustaf och Silvia. Tusen festklädda njöt av en föreställning med Sveriges yppersta artister – bl a Birgit Nilsson, Nicolai Gedda, Ingvar Wixell, Alice Babs, popgruppen ABBA, Elisabeth Söderström och Kjerstin Dellert. Hon sjöng glatt till Benny Anderssons dragspel om ljuva pussar så att den blivande drottningen skrattade hjärtligt. En glad kväll med Silvia, Carl Gustaf och paret Alice och Walther Sommerlath i kungalogen.

Wohlfahrt och önskade de nygifta välkomna till Stockholms slott – kung Carl Gustafs och drottning Silvias gemensamma hem. På Logården trängdes en rad prominenta gäster och på Slottets tak sågs representanter för regeringen. Efter många glada hälsningar försvann brudparet in för fotografering. Världsberömde bildkonstnären Lennart Nilsson hade arrangerat studio i Slottet och började sitt arbete. Men med yrkesmannens hela nit gav han sig inte förrän officiella bröllopsbilden och stora släktbilden hade fått önskad kvalitet.

Det försenade bröllopslunchen närmare en timme.

Otåligt väntade trehundra gäster i Vita Havet och angränsande Don Quijote-salongen, Sofia Magdalenas paradsängkammare och i Karl XI:s galleri. Där satt de yngsta, entusiasmerade av adjutant Bengt-Herman Nilsson som har god hand med juniorer.

Stämningen var glad och otvungen, sällan har det funnits så mycken spontan värme och glädje på Stockholms slott.

– Sverige och svenskarna har i dag en stor dag tillsammans med sin konung och hans familj, sade prins Bertil i sitt lunchtal.

Drottning Silvia har vigts vid kung Carl Gustaf. Genom sitt äktenskap får kungen, den svenska nationens främste företrädare, ökade möjligheter att fullgöra, bredda och fördjupa sina representativa plikter.

Ett lyckligt äktenskap inom vår familj – där harmoni och romantik får komma till synes – hoppas jag också skall bli en källa till glädje och inspiration inom vida kretsar i vårt land.

Men ert äktenskap, kära Carl Gustaf och Silvia, innebär inte bara plikter och skyldigheter mot landet. Ni har som alla andra gifta par rätt till ett rikt och skyddat privatliv.

Ingen människa är fullkomlig i sig själv. Vi behöver alla kompletteras på olika sätt. Närmast var och en står den vi valt att dela livet med. I samspelet mellan man och hustru återfinns grunden för gemensam glädje och ömsesidig tacksamhet. Det är så sant, att delad glädje är dubbel glädje. Och tacksamheten är ett mått på inbördes uppskattning.

Till bruden vill jag säga, att vi beundrar Din klokhet och Dina älskliga egenskaper och att vi har det största förtroende för Dina möjligheter att fylla Din del av den eftersträvade helheten. Det svenska folket med min familj hälsar Dig varmt välkommen till Sverige som landets drottning.

BRUDVALSEN

Företagsamhet parad med fräckhet har sparat detta ögonblick åt framtiden. En objuden kamera förevigade Carl Gustafs och Silvias Kejsarvals. Det är ett svepande dokument från den glada festen på Drottningholm.

Skön Silvia och kungen dansade lekfullt till Gimmicks toner som nådde varje liten vrå av slottet. En lekande vacker vals med vännerna på paradplats.

Det var den riktiga brudvalsen som alla väntat på – ett triumfens ögonblick. Och en kamera fanns med – tack och lov!

*Ett lysande sällskap väntade
på brudparet på Logården.
Det kändes som en fläkt av
flydda tiders hovliv.*

*Vid bröllopslunchen satt
prins Bertil vid drottning
Silvias sida. De har blivit
mycket goda vänner.*

– Här är min drottning,
sade kung Carl Gustaf
när han efter kortegen
trädde ut på borggården
för att tacka för all
uppvaktning. Han höll
sin Silvia rart om livet.

*Ett lyckligt kungapar tackar för uppvaktningen från folkmassan
på Lejonbacken.*

Säg mig den brudgum, som på bröllopsdagen lyssnar till visdomsord från äldre generationer. Låt mig dock återge en enda tanke som i ett nötskal återspeglar något av konsten att leva tillsammans: Det behövs så litet utöver det nödvändiga för att hjärtan och dörrar skall öppnas.

Ett särskilt värmande ljus hade strålat över brudparet, om Din far och Din mor, käre Carl Gustaf, och även Din farfar som under ungdomsåren stått Dig så nära, fått uppleva denna dag. Vi, som förunnats att få vara med, vill gärna av fullaste hjärta önska kung Carl Gustaf och drottning Silvia all tänkbar lycka i hela deras levnad.

Och som avslutning föreslår jag, att vi alla gemensamt höjer ett leve för brudparet.

Endast två tal hölls vid lunchen. Efter prins Bertil reste sig brudens far Walther Sommerlath och höll ett mycket rörande anförande till brudparet. Han sade bl a:

– Vi har alltid sagt till Silvia att hon skulle gifta sig för kärleks skull. Men vi menade aldrig att det var en kung hon skulle gifta sig med!

Herr Sommerlath berättade också, vilken glädje Silvia har varit för sina föräldrar och hur lyckliga de blev vid förlovningen, när dottern fick den man hon älskade.

Bröllopslunchen slutade först 17.30 – en verkligt sen lunch som ganska omedelbart övergick i privat middag hos prins Bertil för de närmaste släktingarna.

Men då var Carl Gustaf och Silvia inte längre med i festlaget. Efter en natt i sitt nya gemensamma hem på Stockholms slott reste de unga iväg på sin bröllopsresa – inte först till Afrika som man hade gissat utan till det avlägsna smekmånadsparadiset Hawaii.

Lördagen den 19 juni 1976 kommer sent att glömmas.

SILVIA, SILVIA

Många dröjde sig kvar efter kortegen för att få se de nygifta. Och särskilt hyllad blev drottning Silvia som vunnit svenskarnas hjärtan. Hon är en Drottning, se hennes sätt att vinka mot folket!

DEN STORA GLADA BILDEN

Runt brudparet, kung Carl XVI Gustaf och drottning Silvia, formar sig brudnäbbet, från vänster Hélène Silfverschiöld, tärnan Carmita Sommerlath, Amelie Middelschulte. På höger sida Hubertus Hohenzollern, Sophie Sommerlath och James Ambler.

Första raden: Kung Baudouin, president Kristján Eldjárn, president Urho Kekkonen, brudens föräldrar Alice och Walther Sommerlath, prins Bertil, drottning Ingrid, kung Olav och drottning Margrethe.

Andra raden: Drottning Fabiola, fru Halldóra Eldjárn, prinsessan Christina, prinsessan Désirée, prinsessan Birgitta och prinsessan Margaretha, storhertiginnan och storhertigen av Luxemburg, prins Henrik, förbundspresident Walter Scheel.

Tredje raden: Walther L. Sommerlath, fru Michele Sommerlath, Niclas Silfverschiöld, prins Johann Georg von Hohenzollern, fru Charlotte Sommerlath, mr John Ambler, direktör Tord Magnuson, Ralph Sommerlath, Jörg Sommerlath och fru Mildred Scheel.

EN DROTTNINGLIK VINK

När de nyförlovade för första gången visade sig för folket på borggården, vinkade Silvia Sommerlath så här glatt. Hon hade all anledning – efter fyra "hemliga" år fick hon äntligen visa sig tillsammans med den man hon älskade.

Århundradets ROMANS

Fredagen den 12 mars 1976 kokade Stockholm av rykten. De visste att berätta att kung Carl Gustaf skulle förlova sig. I blixtrande fart mobiliserade tidningar, radio och TV sina resurser för att få ryktet bekräftat. Men vanligtvis väl underrättade informatörer togs på sängen, ingen visste något. Till och med medlemmar av den kungliga familjen föreföll ärligt överraskade.

Kunde det verkligen vara sant?

Nästa naturliga fråga löd: Vem är den lyckliga – heter hon Silvia Sommerlath?

Presstjänsten på Stockholms slott belägrades av världspressen. Tyska miljontidningar ringde upp svenska kontakter och frågade om man sett Silvia Sommerlath på Slottet. Vid lunchtid nådde ryktet om förlovningen stormstyrka. Men allt var inte bara rykten. Flera "tecken" började tyda på att något speciellt var i görningen på Stockholms slott. I München sågs Silvias far handla frackskjorta tillsammans med sin berömda dotter.

Det enda som saknades var ett tecken från kretsen kring Carl Gustaf.

Så kom bekräftelsen i form av ett pressmeddelande från H. M. Konungens kansli. Det hade följande raka och enkla utformning:

Får publiceras tidigast kl. 17.00 den 12 mars 1976.
Riksmarskalksämbetet meddelar att H. M. Konungen i dag ingått förlovning med fröken Silvia Renate Sommerlath, dotter till direktör Walther Sommerlath och hans maka Alice, f. de Toledo.
Eklateringen följs i kväll av en familjemiddag på Stockholms slott.

Äntligen, utropade det rojalistiska Sverige som fick budskapet genom radions nyhetssändningar. I Stockholm såg man människor som skyndade till Slottet och det dröjde inte länge förrän de första buden med blommor sökte sig in till vakterna i Östra valvet.

Så såg kung Carl Gustaf ut sommaren när det sade ''klick''. Då träffade han bl a prinsessan Caroline från Monaco. Och en annan flicka med långt svart hår ...

På hemlig kryssning i Medelhavet tillsammans med goda vänner. Men påpassliga fotografer avslöjade turen ...

FÖRSTA BILDEN!

Stockholmsfotografen Bertil Jigerts praktskott avslöjade den kungliga romansen. Vackra Silvia var på besök i Sverige och åkte i kungens snabba bil. Det kunde inte betyda annat än kärlek!

Olympiavärdinnan Silvia Sommerlath – så såg hon ut kort före sitt livsavgörande möte med dåvarande kronprins Carl Gustaf.

Olympische Spiele München 1972

FÖRSTA SLÄKTBILDEN

*De nyförlovade omgivna av hela tjocka släkten. Längst fram Carl
Gustaf och Silvia, mamma Alice Sommerlath, Marianne och
Sigvard Bernadotte, Lilian Craig. Raden bakom: pappa Walther
Sommerlath, sonen Ralf och hans fru Charlotte, prins Bertil,
Walther L. Sommerlath, Niclas Silfverschiöld, prinsessan*

*Birgitta, Michele Sommerlath gift med Ralf, John Ambler,
prinsessan Margaretha, prinsessan Désirée, prins Johann Georg
von Hohenzollern, värden Tord Magnuson och Silvias yngste bror
Jörg Sommerlath. På bilden saknas värdinnan prinsessan
Christina. Hon hade gått in i Villa Beylon för att hämta sin
filmkamera.*

HEM TILL MÜNCHEN

*Direkt efter förlovningsstähejet i Stockholm for den blivande
drottningen hem till München för att ordna en rad praktiska
ärenden. Som den pliktmänniska hon är ville hon avsluta sitt
engagemang hos olympiska kommittén i Innsbruck.*

Beskedet om förlovningen utlöste genuin glädje, Sverige skulle få en ny drottning, kung Carl Gustaf skulle bilda familj, en ny generation skulle dra in i gemak och salar.

Men vem var den unga kvinnan som erövrat kungens hjärta? Hennes namn var ingalunda okänt, i fyra år hade den svenska och utländska pressen flitigt skrivit om den mörkhåriga skönheten som dåvarande kronprins Carl Gustaf träffade på München-olympiaden.

Nu växte hon fram i egen strålande person efter ett smygliv som tidvis måste ha varit ganska bekymmersamt. Och det avslöjades att Århundradets Romans börjat ganska banalt – om kärlek någonsin blir banal. Kronprins Carl Gustaf anlände till München för att uppleva en idrottsfest av gigantiska mått. Han möttes av olympiavärdinnan Silvia Renate Sommerlath, en glad och vänlig ung kvinna, ständigt leende. Situationen var på intet sätt unik för kungen, hans vardag som PR-man för Sverige är fylld av glada och vänliga människor.

Men det var annorlunda med olympiavärdinnan Silvia. För att tala klarspråk så föll kung Carl Gustaf direkt för den sällsamma charm som hon utstrålade.

Silvia var försiktig och på sin vakt. Hon har fått gammal tysk uppfostran med pliktuppfyllelse som ett absolut krav. Dessutom hade en romans med en ung man kort tid före olympiaden varit smärtsam. Naturligtvis noterade hon kronprinsens intresse. Det var å andra sidan ingen ny upplevelse för henne. Många unga män tittade förtjust på flickan med det midjelånga svarta håret och varma leendet.

Carl Gustaf kunde inte låta bli att tänka på vackra Silvia och lät så småningom, så bjuder traditionen, sin adjutant ringa upp henne för att föreslå ett möte.

Nu blev Silvia både förvånad och förlägen. Från en ung mans blickar till direkt inbjudan är steget stort, mycket stort med tanke på att inbjudan kom från Sveriges kronprins. Sannolikt hade hon bilden ganska klar, Carl Gustaf var sedan länge väl presenterad för det tidningsläsande Europa.

Trots att hon var upptagen lät hon sig bevekas och accepterade kronprinsens inbjudan. Och när de möttes förvandlades kronprinsen till vanlig ung man och den uppskattade olympiavärdinnan till ung kvinna. Det uppstod ljuv musik och så föddes den mest fantastiska, osannolika kärlekssagan i vår tid.

Men fram till riksmarskalksämbetets kommuniké den 12 mars var vägen lång och krokig. Sällan har två unga

TRÄNGSEL OCH LYCKA

Så fort förlovningen blivit känd strömmade glada stockholmare till Slottet. Och stämningen var mycket angenäm – Sverige skulle få en ny drottning.

EN SÅN BLICK!

Silvia är berömd för sina vackra ögon och sin varma blick. Den demonstreras med all tydlighet på denna rara bild som togs på Villa Beylon dagen efter förlovningen.

TVÅ ANSIKTEN

*På bilden till vänster som har tagits i
Paris, visar Silvia en allvarlig min när
hon uppvaktas av fotografer. Men av det
allvaret syns blott intet när hon villigt
poserar framför pressfotografen Freddy
Lindströms kamera kvällen före förlov-
ningen. Samma Silvia – men två
ansikten.*

*Kung Carl Gustaf är en artig gentle-
man. Så här elegant lotsar han iland
sin Silvia vid ett bröllop.*

*Silvia på Drottningholm, uppvaktad
av kommendörkapten Bertil Daggfeldt.
Han förmedlade första mötet med
kungen . . .*

Redan tidigt började man öva
sina gemensamma roller. Så
här såg det ut när paret mötte
folket i samband med kungens
30-årsdag. Och vid en gemen-
sam resa ut i riket fick den
blivande drottningen känna
en värme som bådade gott för
framtiden. Här niger en liten
medborgare så fint hon kan ...

KUNGLIG FISKELYCKA

Kung Carl Gustaf invigde omedelbart Silvia i sina favoritsporter. Här är två glada bilder från en tur till Mörrumsån. Och Silvia satte sig raskt in i konsten att fånga lax. Ni minns väl TV-bilderna när hon tappade sin lax i snön men raskt plockade upp sin fångst?!

ENSAMMA

I kung Carl Gustaf har drottning Silvia sin bästa Sverige-ciceron. Här är paret på ensam snötur långt uppe i Norrbotten. Båda älskar fjäll och skärgårdar . . .

människor haft så många problem att brottas med. För att ta det primära: hur döljer man sin kärlek ständigt omgiven av professionella nyhetsjägare, människor som kan nosa sig till en romans lika lätt som radar klyver dimma?

Det dröjde inte länge förrän man viskade att kronprinsen allt oftare sågs tillsammans med en "mörkhårig flicka". Gissningarna tog fart och många unga damer fick finna sig i att förväxlas med olympiavärdinnan, till och med prinsessan Caroline av Monaco figurerade. Men ingenting stämde och ofta var det svindlande nära att romansen skulle avslöjas.

En svensk veckotidningsjournalist är bevisligen den som först växlade några ord med Silvia och avslöjade hennes identitet. Det skedde på en gata i München. Men som i så många liknande fall blev storyn föga trodd, i Sverige avfärdades det hela som en snabbromans i skuggan av München-olympiaden.

Namnet Silvia hade dock kommit för att stanna.

Gång på gång nåddes pressen av besked att hon besökte Sverige och personligen såg jag henne första gången en augustidag på sommarslottet Solliden på Öland. Parken var fylld av turister som gladde sig åt att få se Carl Gustaf komma körande i sin jeep. På plats var också prinsessan Christina och en rad av deras vänner.

Silvia kom ensam gående på grusgången mellan slottet och stora grinden. Hon hade sitt midjelånga hår utslaget och såg avspänd och lycklig ut. Jag noterade i mitt reportageblock "sällsam utstrålning". Det är ett omdöme som håller än i dag, väl dokumenterat för svenska folket.

Men lika snabbt som Silvia dök upp försvann hon in i parkens gömmande grönska. Hon måste ha anat fara – det fick inte avslöjas att hon bodde som Carl Gustafs gäst. De stränga reglerna bjöd att paret inte fick ses tillsammans, allra minst fotograferas. Men uppgjorda ritningar håller inte alltid. Stockholmsfotografen Bertil Jigert överraskade paret vid en bensinmack. Silvia Sommerlath satt i Carl Gustafs vindsnabba Porsche. Kärleken som föddes i München olympiasommaren 1972 höll hög karat!

Sedan följde avslöjanden slag i slag. Hänt i Veckanreportern Kerstin Chrigström är den svenska journalist som mött Silvia mer än någon annan. Hon berättar:

– Första gången jag träffade henne personligen var i början av januari 1973, Silvia hade flyttat från München för att börja sitt arbete vid OS-kommittén i Innsbruck.

Jag gick fram till henne på en gata och mötet blev glatt och gemytligt.

*För Sverige i tiden –
ett representativt par
med många offentliga
plikter.*

*En helt ny upplevelse
för kung Carl Gustaf –
promenad med svärför-
äldrar. Pappa Walther
håller sin dotter rart om
armen.*

KÄRLEKS-GNABB

*Från den berömda för-
lovningssoffan på
Stockholms slott har det
visats många bilder.
Men ingen så lekfull
och omedelbar som
denna!*

LYSNINGEN OCH HATTEN

*Från Carl Gustafs och Silvias lysning i början av juni 1976 minns
man särskilt hennes omskrivna vita "hjälm". Den väckte
blandade reaktioner och folket delades i två läger – snygg eller inte
snygg? I den mån svaret blev "inte snygg" har Silvia revanscherat
sig och fått applåder i världspressen för sin sobra smak.*

– Alla andra brukar springa efter mig för att få bilder, sedan försvinner de, sade Silvia till mig. Det här är faktiskt första gången någon kommit fram och presenterat sig, fortsatte hon.

Silvia log sitt varma, mjuka leende när hon hörde kungens namn nämnas, men hon ville inte diskutera sitt förhållande till honom.

– Får man ställa sådana frågor, sade Silvia när jag förde Carl Gustaf på tal. Men hon lade till att hon tyckte att Carl Gustaf var en mycket trevlig människa. De var goda vänner, absolut inget annat.

Sade Silvia som då verkligen talade sanning. Sannolikt vågade hon inte ens drömma om ett äktenskap med Carl Gustaf, perspektivet måste ha varit svindlande. Hon visste så väl att en kronprins en dag blir kung och den som säger ja till en kung blir drottning.

Därför fortsatte man att leka kurragömmalek med all världens press med växlande framgång. Kronprinsens vänner ställde upp med en lojalitet som ibland fick nästan löjliga proportioner.

19 september 1973 besteg Carl Gustaf Sveriges tron efter sin farfar Gustaf VI Adolfs bortgång. I samma ögonblick blev förhållandet till Silvia allvarligare. Den sorglösa kronprinstiden var förbi, nu visste Silvia att om romansen skulle fortsätta skulle den leda henne rakt in i den svenska historien. Hon skulle bli Sveriges sjunde drottning i ätten Bernadotte, den andra borgerligt födda drottningen ingift i den franskättade familjen.

Visst uppstod det situationer som höll på att krossa förhållandet. Men kärleken segrade, hjälpt av det faktum att kung Carl Gustaf började se en drottning i Silvia. Hennes utstrålning och vänlighet, parad med utomordentlig representationsförmåga och språkkunskaper gjorde henne klart skickad att bli hans gemål.

Kanske var det därför som kungen och Silvia ibland visade sig tillsammans utan det "skydd" som vänkretsen villigt bjöd på. I augusti 1975 reste Silvia till Carl Gustaf som då gästade prins Bertils villa på Cap d'Antibes vid Cote d'Azur. Det var tänkt som ett kort möte men blev utsträckt till två långa, sköna veckor. Förmodligen hade mötet aldrig blivit känt om inte kungen hade tagit med sig Silvia på en kryssning ombord på grekiske juniorredaren Philip Niarchos lustjakt "Silla". Allestädes närvarande italienska fotografer riktade sina teleobjektiv mot sällskapet och när man framkallade bilderna förstod man att de var guld värda. På samma negativ fanns förutom Niarchos gäng också svenske kungen och hans hem-

liga fästmö. Ännu en gång sågs bevisen på en romans i
världspressen...

Och denna gång sökte sig bilderna hem till familjen
Sommerlath, bosatt i Heidelberg. Det kom som en över-
raskning att Walther och Alice Sommerlaths dotter be-
fann sig på en kryssning tillsammans med svenske kungen.

– Silvia klarar sig nog, sade den vänlige men samtidigt
konservative barnuppfostraren Walther Sommerlath. Det
är värre för min hjärtsjuka hustru. För henne blev det en
chock...

Kryssningen på Medelhavet avlöstes av nya möten,
många helt hemliga. Andra våldsamt publicerade och
avslöjade. Ett exempel är den glada påskresan till Norge
samma år. Den blev känd genom en läcka i hovets press-
tjänst och saken väckte förbittring hos kungen som hade
hoppats att få vara helt anonym med Silvia i ljuvliga
Gudbrandsdalen.

Därför beslöt man spela pressen ett spratt och engage-
rade en fotomodell från Stockholm som liknar Silvia.
Den unga damen som heter Peggy Kirsipuu, ställde upp
tillsammans med Carl Gustaf och fotograferna tog bilder.
Snart avslöjades komplotten men då hade bilderna redan
distribuerats till världspressen. I många bildarkiv jorden
runt får Peggy nu gälla som drottning Silvia på skidtur i
Norge.

Vissa tider när Silvia varit stående löpsedelsnamn, har
människor betraktat reportagen med stor skepsis. Man
vägrade att tro att affären någonsin skulle få ett lyckligt
slut och skall sanningen fram har varje journalist som
bevakat kung Carl Gustaf och hans dam drabbats av
privata tvivel. Men eftersom verkligheten ofta är under-
barare än dikten har plötsliga uppdykanden stimulerat
till nya tag.

Personligen upplevde jag ett sådant tillfälle vid ett
hastigt besök vid Villa Beylon, prinsessan Christina, fru
Magnusons och Tord Magnusons hem. Tillsammans med
fotografen Charles Hammarsten promenerade vi i den
stilla idyllen när kungens blå Porsche sköt ut från gården
och försvann med ett imponerande vrål.

Det hastiga uppbrottet lät oss ana att han åkte iväg
med sin Silvia. Det kändes snopet att ha missat exklusi-
viteten som bjöds oss på silverbricka. Men slumpen ville
annat. I eftermiddagsrusningen på Valhallavägen i Stock-
holm klämdes vi fast i en bilkö – dörr i dörr med den kung-
liga bilen! Och på den distansen var det inte svårt att
känna igen flickan med det långa svarta håret! Diskretio-
nen bjöd oss att inte följa efter när paret försvann ut på

*Statsminister Olof Palme och tal-
man Henry Allard överlämnade
folkets gåva till brudparet – en*

*Före bröllopet gav kungen och
Silvia en presskonferens och*

specialbeställd glasservis för representationsbruk.

berättade om sina reaktioner. Här i samspråk med författaren.

Kungl Djurgårdens domäner där ekarna kastar så djupa vackra skuggor.

Cirkeln sluter sig fredagen den 12 mars.

Kung Carl XVI Gustaf hade fattat ett eget beslut att gifta sig med Silvia Renate Sommerlath. Och lika viktigt var att den vackra värdinnan från München som visat sådana ovanliga kvaliteter hade vågat svara ja.

Den glada nyheten följdes av fest och glädje och på lördagen, dagen efter eklateringen, trädde paret fram inför allt folket. Man gör sig inte skyldig till minsta överdrift om man säger att Silvia Renate tog hela svenska folket med charm. Hon är bländande vacker, har ett öppet och avväpnande leende och är helt visst den vackraste drottningen på Sveriges tron.

Vid förlovningspresskonferensen talade hon ledigt till världspressen och turnerade frågor med stor skicklighet.

En av de första frågorna från pressen löd:

– Hur tänker ni leva ert liv som Sveriges drottning?

Silvia svarade på oklanderlig svenska:

– För Sverige i tiden.

– Vilka huvuduppgifter kommer ni att ta itu med som drottning?

– Först och främst vill jag vara en god maka och värdinna, samtidigt som jag gärna vill hjälpa till med representationen.

Medan hon svarade höll hon sin hand i kungens. På ringfingret glänste hennes förlovningsring som tillhört prinsessan Sibylla.

Den fråga och det svar som man kanske kommer att minnas längst från det historiska tillfället på Stockholms slott löd:

– Fröken Sommerlath, har ni någon drottning som förebild eller föredöme?

Silvia tänkte en liten stund innan hon svarade:

– Nej, men jag har en kung!

Och den blick av triumf, blandad med ömhet som hon gav Carl XVI Gustaf efter sitt svar ger ett koncentrat av denna romantiska kungasaga.

Kort efter förlovningen fick svenska folket möta Silvia i TV-program och på improviserade "eriksgator". Och vart hon reste omgavs hon av kompakta hyllningar och spontan generositet från människor som känt den blivande drottningens mänskliga kapacitet.

Stockholms slott har i ett slag föryngrats och med sig har flickan från Heidelberg fört en ton som är väl anpassad för Sverige i tiden. Samstämmigt prisar man Silvias vilja att lära samtidigt som hon med fast hand försöker bygga upp en tillvaro i en svårforcerad och antikverad miljö. En kunglig resa till München, en blick och ett "klick" har förvandlats till något värdefullt som svårligen låter sig mätas.

I STJÄRNBANERETS SKUGGA

Kung Carl Gustas stora resa till USA våren 1976 blev en mäktig upplevelse. Han överhopades med gåvor och presenter – här en fanborg i miniatyr. I bakgrunden vakar en bredaxlad polis över kungens säkerhet.

Resorna

Efter sitt trontillträde har kung Carl Gustaf avverkat inte mindre än fem statsbesök. Det första gick till grannlandet Norge och blev något av en familjefest. Han möttes på Östbanestationen i Oslo av Kung Olav, den kungliga familjen och representanter för norska regeringen. Besöket koncentrerades i huvudsak till Oslo med omgivningar. Efter sedvanliga begivenheter tillsammans med kung Olav, kronprins Harald och kronprinsessan Sonja kulminerade besöket med en galakväll på Nationaltheatret.

Andra statsbesöket gick följdriktigt till Finland där president Urho Kekkonen vänligt tog emot Carl Gustaf. Den äldre statsmannen som blivit en mästare i internationell umgängeskonst, har många gånger tidigare mött Sveriges kung. Men denna gång fick besöket en officiell och pompös inramning.

I april 1975 kom så turen till Danmark. Kungen gick i land från jagaren "Gästrikland" och möttes av 10.000 entusiastiska köpenhamnare med kungliga släkten i spetsen. Och pusskalaset med faster, drottning Ingrid, utlöste ovationer. Den kortege som sedan följde hade drag av karneval. Köpenhamn visste att hylla drottning Margrethes kusin, särskilt som de två visade sig tillsammans.

I juni samma år gick färden till Island – en ö i havet av eld och is. Tillsammans med utrikesminister Sven Andersson, förste hovmarskalken Björn von der Esch, kabinettssekreterare Sverker Åström, greve Tom Wachtmeister och adjutanten, kommendörkapten Bertil Daggfeldt, anlände han till den sagoomspunna ön långt i norr. President Kristjan Eldjan och hans maka Halldora välkomnade till annorlunda land. Men det kungen fick se fängslade honom på ett speciellt sätt – underbara utsikter, heta källor, jöklar och den av naturkrafterna drabbade Heimaey.

Höjdpunkten i statsbesöksserien blev juliresan till Skottland och England. Här fanns all den tunga pompa och ståt som britterna bestämde sig för redan på 1600-talet. Och från detta ceremoniel gjordes inga avsteg.

Drottning Elizabeth och prins Philip väntade på kung Carl Gustaf i Edinburgh. Vid mötet kysste kung Carl Gustaf drottningen på kind och 250.000 människor jublade. Kyssen fanns inte med i planerna och noterades

TOPPMÖTE

*Under sin vistelse i
Washington träffade
kung Carl Gustaf en rad
toppolitiker från den
amerikanska admi-
nistrationen. Som t ex
här på ett glatt party hos
den svenske ambassa-
dören. Från vänster
utrikesminister Henry
Kissinger, Sverige-
vännen Hubert
Humphrey, och till
höger om kungen vice-
presidenten Nelson
Rockefeller.
— Se upp, nu blixtrar
det, sade Rockefeller.
Bakom mr Kissinger
ses Sveriges USA-
ambassadör Wilhelm
Wachtmeister.*

som ett "brott" mot protokollet. Men vad spelade det för roll inför en sådan entusiasm!

Sällan har så många förhoppningar knutits till en enda resenär som när kung Carl Gustaf i april bröllopsåret 1976 reste till USA. Trots att det inte rörde sig om ett officiellt statsbesök fick det ändå karaktären av visit på högsta nivå genom sammanträffanden med president Gerald Ford i Vita huset och senare vicepresidenten Nelson Rockefeller, utrikesminister Henry Kissinger och toppmän från administrationen i Washington.

Men det som utan tvekan gjorde det starkaste intrycket på mig och övriga i den svenska gruppen som följde kungen på hans resa, var mötena med svenska utvandrare, deras barn och barnbarn. Bandet mellan Sverige och USA är starkt, oerhört starkt och alldeles oanfrätt av de frostiga politiska stämningar som Vietnam-kriget förde med sig. Drömmen om det gamla landet finns kvar, än klingar svenska namn på affärs- och gatuskyltar. Och skrapar man lätt på de amerikanska fasaderna i typiska invandrarbygder, kommer den blågula färgen fram. Otvivelaktigt har svenskarna betytt mycket för nationens födelse, en sak som ofta berördes i de många tal som kung Carl Gustaf fick lyssna till under sin resa. Och vart han kom betygade man det lilla landet långt borta i Europa sin vördnad som offrade en miljon av sina söner och döttrar för att bygga upp världens största demokrati.

Att peka ut resans höjdpunkt är en omöjlighet. De 28 dagarna i USA innehöll så oändligt mycket av värme och vänskap, omtanke och beundran. Långt ute på veteslätten i Kansas såg jag en ensam kvinna stående på ett bensinfat med en svensk flagga i handen. Hon viftade ivrigt när kungakortegens många bilar hastigt rullade förbi. Hennes hyllning kontrasterar skarpt mot trängseln kring kungen i Philadelphia, Seattle, Los Angeles, Lindsborg, Chicago – för att bara nämna några platser.

Den mäktigaste manifestationen bjöds kungen i Minneapolis, Minnesota. I stadens väldiga Auditorium hade 9.000 människor samlats till en Sverige-festival som inte saknade någon svensk rekvisita. Och när ljuset på amerikanskt maner släcktes i den jättestora hallen och kung Carl Gustaf med uppvaktning tågade in efter en strålkastarbelyst fanborg i svenska och amerikanska färger, gick ett sus genom mängden.

Det slogs an en ton som inte gick att ta miste på. Från folkdansmusikens spröda toner flög tankarna bort till ljumma midsommarnätter med dans och skratt kring fäbodvallar och rensopade loggolv. När operastjärnan Rolf

PROMENADEN

Trots att kung Carl Gustafs besök i USA inte hade status av officiellt statsbesök, ingick ett möte med president Gerald Ford i programmet. Efter ett kort samtal i det berömda Ovala rummet företog man en promenad i den park som omger Vita huset. Stämningen var avspänd och angenäm och båda herrarna utbytte synpunkter på bl a skidåkning, en sport som båda uppskattar. Utan att förringa presidentens utförsåkartalanger vågar vi påstå att kung Carl Gustaf har en friskare stil.

VÄLKOMMEN, ERS MAJESTÄT!

Varhelst kungen kom på besök samlades entusiastiska amerikaner
och svenskamerikaner för att hälsa honom. Detta är en typisk bild
från 28-dagars resan: ett hastigt stopp, en ceremoni och några tal.
Sedan vidare med de stora svarta kortegebilarna.

Efter sitt trontillträde har Carl Gustaf gjort fem officiella statsbesök. Här ses han tillsammans med drottning Margrethe i Danmark.

Första officiella resan gick till Oslo där kung Olav tog emot. Det blev ett hjärtligt möte.

Statsbesöken toppades med ett besök i Skottland och England. Här uppvaktar kung Carl Gustaf drottning Elizabeth.

87

SLEVA PÅ CARL GUSTAF!

Hemma hos världsstjärnan Danny Kaye fick kungen lära sig hur man kokar kinesisk mat. Värden är expert på det kinesiska köket och lär gärna ut sina konster. Den middag som följde på seansen i köket var en av resans höjdpunkter. Danny Kaye fick sina gäster att kikna av skratt. Men han vägrade servera någon förrän alla herrar hade kastat av sig sina slipsar!

Björling med sedvanlig bravur besjöng Sverige, tog det säkert tag i varje svenskt hjärta, oavsett om det klappade i tredje eller fjärde invandrargenerationsbröst. Kung Carl Gustaf hyllades med varma applåder. Själv framförde han sin hälsning från Sverige och uttalade beundran för den flit och energi som svenskarna och svenskättlingarna visat i sitt nya hemland.

Den stora Amerika-resan omspände allt från utvandrarhistoria till rymdteknologi, från Hollywood-fester till rörande möten med grånade utvandrare.

I glittrande salonger presenterades, applåderades och hyllades kung Carl Gustaf med tal och presenter. Man skålade för kungen och kungen svarade med att skåla för USA:s president. Tusentals och åter tusentals som aldrig kom in i festsalarna trängdes vid avspärrningarna och försökte föreviga kungabesöket på ryckiga Instamatic-bilder.

I timmar väntade man tålmodigt på att få se Sveriges unge kung. Som t ex i Lindsborg, Kansas. Där arbetade man i två år för att hylla Carl Gustaf med något som närmast kan liknas vid en karneval. I fyra timmar hade man tänkt avlossa all tänkbar vänlighet mot kungen. Det blev bara två timmar eftersom ett oväder över Colorado försenade det kungliga jetplanet, för säkerhets skull döpt till "Friendship Sweden".

När han äntligen kom tvingades han rusa runt med sjumilastövlar. Lindsborg var bedövat, men gladdes ändå. Man hade i alla fall fått Kungabesök. Andra svenskorter blev ju helt förbigångna.

Det stora Amerika som överväldigade utvandrarskarorna, överväldigade också Carl Gustaf. Han möttes av kärlek och omtanke bortom all konvenans och normal artighet.

– Vi älskar kungen, sade gamle konstruktören Sam Carlson, Chicago, 55 år i USA. Jag tror inte att man i Sverige riktigt förstår hur mycket kungens besök betyder för oss. Jag har bott här i en mansålder. Men rötterna sitter kvar i den svenska jorden. Därför är Carl Gustaf så viktig för oss.

Kungen banade sig väg genom skaror av svenskar och svenskättlingar. De som utvandrade från Örebro och Tidaholm, Ljusne och Kalmar. Och alla ville ta honom i hand, omfamna honom och berätta om sitt livsöde. Mitt svenska blågula presskort utlöste ändlösa berättelser om utvandrarliv i ett stort tufft land, fyllt av framgångar men också av besvikelser.

Det regnade i Swedesboro när kungen kom. Men det kunde inte dämpa glädjen i den lilla orten.

Kungen talar i Minneapolis Auditorium. – Vi är stolta, sade han, över er svenskamerikaner som har varit med om att bygga upp denna väldiga nation.

Minnesota-guvernören och svenskättlingen Wendell Andersson gav sin egen tröja till Carl Gustaf. Populärt!

Både unga och gamla ville så gärna träffa Carl Gustaf eller åtminstone ta en egen bild av honom.

tt av resans roligaste improviserade tal höll hedersgästen svenska Washingtonambassadens partytält.

I Gustavus Adolphus College i Minnesota planterade kungen ett träd. Han förde spaden med vana tag, allt medan professorer och säkerhetsmän såg på.

Den första buketten i en lång rad fick kungen i New York av Annica Sandström, 2 år. Hon fick en kunglig lapp.

Tack för fin eskort, sade kungen och tackade San Franciscos fenomenala motorcykelpoliser.

BRÖLLOPSRESAN

Efter bröllopsnatt på Stockholms slott reste kung Carl Gustaf och drottning Silvia till Hawaii, den sago-omspunna ögruppen i Stilla havet. Paret bodde en vecka i en avlägset belägen villa och kunde ostört ägna sig åt varandra. De gick långa promenader på den härliga,

vita stranden, badade och dök i det klara vattnet. Till-sammans med goda vänner gjorde man fiskeutflykter en stor motorkryssare.

Via London reste de nygifta vidare till Afrika för a leva safariliv. En lång och härlig bröllopsresa, fylld av minnen!

Just här kan det finnas anledning att avfärda kritiken mot kung Carl Gustaf. Det hävdades från massmediahåll att han uppförde sig alltför stelt och vinkade alltför sällan. Sannolikt väntade man sig en kung som likt en amerikansk politiker skulle trycka varje utsträckt hand och le gnistrande och röstgivande leenden i alla riktningar.

Min personliga uppfattning, som jag vet delas av många omdömesgilla iakttagare, är att kungen genomförde sin resa och mötte människorna på ett chosefritt och charmigt sätt – som kung. Och det var en kung man ville se. Visst fanns spontaniteten med i Carl Gustafs personliga bagage. Vid flera tillfällen kastade han sina färdigskrivna manuskript och talade rakt och varmt till de människor som hade kommit för att se och höra honom.

Guvernörer bugade och bockade, den berömde Daley i Chicago satte upp välkomstskyltar på lyktstolpar över hela stan. Borgmästare överlämnade stadsnycklar, präster välsignade, danslag lockade fram tjohej på amerikansk asfalt.

Körer sjöng glödande hyllningar, fyllda av patos och känsla. Men just när kärleken till gamla Sverige nådde sentimentalitetens yttersta gräns, jämnade man ut med förlösande brassbandstoner i jazztakt. Ingenting är mer amerikanskt än Amerika.

Roligast på resan?

Möjligen kvällen på Bohemia Club i San Francisco när börschefen Carl Arnold släppte på värdigheten och sjöng eldigt om "Bad Lee Roy Brown". Eller kanske hellre den slipslösa middagen hemma hos Danny Kaye i Beverly Hills. Över hela den tillställningen vilade ett stilla vanvett, levererat av värden själv och kryddat av dofterna från det kayeska köket.

Före festen sa den världsberömde skådespelaren till mig:

– Här i huset använder ingen slips...

Och lyckades han inte få slipsarna av både kung Carl Gustaf och ambassadör Wilhelm Wachtmeister!

En resa i miljonklass som sträcker sig över 28 dagar, går naturligtvis inte spårlöst förbi. Någonstans hakar ett statyskynke upp sig. Någon annanstans blir skaran av livvakter irriterad. Vid ett tillfälle svek rösten kungen. I Chicago visste Herald Tribune att kungen gått på privat klubb tillsammans med sin uppvaktning och minsann dansat med ung dam. Men det är bara parenteser och bagateller i en annars väl genomförd PR-resa, mättad av känslor och minnen.

FÖR SVERIGE

I TIDEN

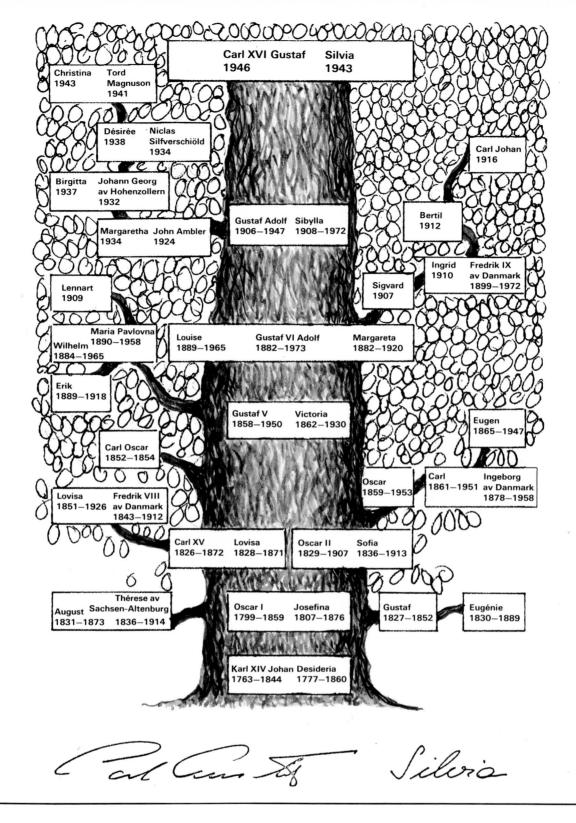

Bilderna i denna bok har tagits av följande fotografer och bildbyråer:

Action-Bild
Rolf Adlercreutz
Ove Arturson
Ulf Blumenberg
Charles Hammarsten
Bertil Jigert

Kosmos Press
Lennart Nilsson
P. Paterson
Bert Persson
Pressens Bild
Reportagebild

Christer Robertsson
Svenskt Fotoreportage
Svenskt Pressfoto
Roger Tillberg
Stig Arne Öström

© 1976 Bobby Andström, Askild & Kärnekull Förlag AB. *Formgivning:* Karl Lemos. *Typsnitt* Century Schoolbook 11/13. *Papper:* inlaga 135 g Edeloffset, omslag 120 g Macoprint. *Sättning* AB Photon. *Tryck* Ljunglöfs litografiska AB, Stockholm 1976. A&K 658.

ISBN 91 7008 658 3